KNISTER

Die Sockensuchmaschine

Mit Bildern von

Heribert Schulmeyer

Arena

Informationen zu Unterrichtsmaterialien
unter www.arena-verlag.de

4. Auflage als Arena-Taschenbuch 2015

Herausgeber: Peter Conrady
Umschlag- und Innenillustration: Heribert Schulmeyer
Reihenkonzeption: Frauke Schneider
Umschlagtypografie: knaus. büro für konzeptionelle
und visuelle identitäten, Würzburg
Gesamtherstellung: Westermann Druck Zwickau GmbH
ISSN 0518-4002
ISBN 978-3-401-50060-7

www.arena-verlag.de

Es ist Montagmorgen.
Im Kinderzimmer ist es ruhig.
Jonas und Max schlafen noch.
Aber Jonas liegt nicht
in seinem Bett.
Er hat sich gestern Abend
neben seinem Bett
eine Schlafhöhle gebaut.
Hier in der Höhle aus Decken und Kissen
kann er besser träumen.

Auch Max liegt nicht im Bett.
Er steht auf der Fensterbank
und schläft.
Max schläft immer im Stehen,
denn Max ist ein Wellensittich.
Im Zimmer ist es stockdunkel.
Es klopft.
Das Geräusch der Türklinke
weckt Jonas auf.
Ein scharfer Lichtstrahl
fällt durch den Türspalt
ins Kinderzimmer.
Dann öffnet sich die Tür langsam.
Blinzelnd erkennt Jonas
eine dunkle Gestalt im Türrahmen.
„Guten Morgen!“,
ruft Mutter.
„Jonas, aufstehen!“
Sie knipst das Licht an.
Das helle Licht sticht
Jonas in die Augen.
Das tut richtig weh.

Schnell verkriecht er sich
tief in seine Schlafhöhle.
Er zieht die Bettdecke
bis über den Kopf.
„Aufstehen!“,
ruft Mutter noch einmal.
„Du musst zur Schule.
Das Wochenende ist vorbei.“
Unwillig krabbelt Jonas
unter seiner Bettdecke hervor.
Er blinzelt ins Zimmer.
Dieses grelle Licht!
Er hält die Hände vor sein Gesicht.
Zwischen den Fingern lugt er
nach seinem Wellensittich.

„Morgen, Max“, sagt Jonas
und nimmt seine Hände vom Gesicht.
Langsam gewöhnen sich die Augen
an das helle Licht.
Jetzt kann er endlich richtig gucken.
Max stört das Licht nicht.
Er fliegt ein paar Runden und landet
auf Jonas' Schulter.
Jonas streichelt Max
über den weichen Federbauch.
„Morgen, Max“,
sagt Jonas noch einmal.
„Weißt du, was?
Man müsste eine Morgenbrille erfinden,
mit der man morgens
nicht geblendet wird.
Wie eine Sonnenbrille.
Aber unzerbrechlich
muss die Morgenbrille sein,
damit man sie auch wirklich
die ganze Nacht tragen kann.“
Max wippt und krächzt:

„Prima! Prima!"
Jonas ist überzeugt,
dass sein Freund Max
jedes Wort versteht.
Er streichelt Max' Bauch.
Max pfeift leise vor sich hin
und dreht seinen Kopf hin und her.
Mutter ruft aus der Küche:
„Jonas, ab ins Bad und anziehen!"
Jonas geht ins Badezimmer,
Max fliegt ins Badezimmer.
Max und Jonas spielen im Badezimmer.

Mutter ruft:
„Wie lange soll das denn noch dauern?"
Jonas stöhnt:
„Man müsste
eine Anziehmaschine erfinden."
Er sucht seine Socken.
„Eine Sockensuchmaschine
wäre auch nicht schlecht."
Max kreist einmal durch das Badezimmer
und landet auf Jonas' linkem Socken.

Der liegt auf der Waschmaschine.
Jetzt sieht auch Jonas den Socken.
„Danke, Max."
Jonas schlüpft in seine Hose.
„Bist du endlich fertig?"
„Komme schon!"

Jonas geht in die Küche.
Max darf nicht mit in die Küche.
Mutter hat es verboten.
Er fliegt zum Frühstück
in seinen Käfig und setzt sich dann
auf die Gardinenstange
im Kinderzimmer.
Hier wartet er geduldig,
bis Jonas endlich
aus der Schule kommt.
Heute muss er lange warten,
denn Jonas hat auf dem Schulweg
etwas entdeckt.
Nicht weit von Jonas' Elternhaus
ist vor zwei Wochen
ein neuer Nachbar eingezogen.
Mit dem Mann
hat noch keiner richtig geredet.
Aber die ganze Nachbarschaft
redet über den neuen Hausbewohner.
Er ist fast immer in seinem Haus
und geht selten auf die Straße.

Nur einmal ist er einkaufen gegangen.
Er hat ein Brot gekauft
und ein Glas Marmelade, einen Kopfsalat
und 47 Flaschen Salatöl.
Die Verkäuferin war ganz entsetzt.
Sie hat es allen Nachbarn erzählt:
„Stellen Sie sich vor!
47 Flaschen!
Wenn das nicht merkwürdig ist!
Und meine schönen Plastiktüten
wollte er nicht.
Hat sich seine Taschen
selbst mitgebracht.
Und wie die Dinger aussahen!
Fast wie Kleiderbügel
mit Wollsocken dran."
Der neue Hausbewohner
gibt seinen Nachbarn
wirklich manches Rätsel auf.
Beim Einzug
kam er mit fünf Möbelwagen.
Fünf Möbelwagen

für einen einzigen Mann!
In dem Möbelwagen waren
nur große silberne Kisten.
Mindestens hundert silberne Kisten.
Da muss man sich nicht wundern,
wenn die Leute über ihn reden.
Manche rätseln:
Ist der neue Nachbar ein Geheimagent?
Oder vielleicht Zauberer?
Oder Silberkistenverkäufer?
Oder Salatölfeuerspucker?
Aber Jonas weiß,
was der Mann von Beruf ist.
Seit heute hängt
an seinem Gartentor ein Schild.

Auf dem Heimweg von der Schule
bleibt Jonas
lange vor dem Schild stehen.
Er überlegt.
Ein echter Erfinder,
der müsste doch eigentlich . . .!
Ob der vielleicht auch . . .?
Man müsste einfach mal fragen.
Neben dem Schild
ist eine Klingel angebracht
und über der Klingel
ein Lautsprecher.
Einen Lautsprecher
an der Haustür kennt Jonas.
Sein Freund hat auch
einen Lautsprecher an der Haustür.
Zuerst muss man klingeln.
Dann wird man
nach seinem Namen gefragt.
Das ist ganz einfach.
So etwas Modernes
gibt es nicht nur bei Erfindern.

Trotzdem hat Jonas
ein wenig Herzklopfen.
Erst jetzt entdeckt er
die großen Antennen auf dem Dach.

Solche Antennen
hat er noch nie gesehen.
Wozu die wohl gut sind?
Und warum sind einige
Fensterläden geschlossen?
Es ist doch schon Mittag!
Merkwürdig . . .
Aber ganz gleich,
Jonas will den Erfinder kennenlernen!
Er braucht nur
auf den Klingelknopf zu drücken.
Vielleicht kommt ein kleiner Roboter,
um die Tür zu öffnen?
Oder eine fliegende Untertasse,
die fremde Besucher zum Haus lotst?
Bei einem echten Erfinder
muss ich mit allem rechnen,
denkt Jonas,
holt tief Luft und klingelt.
HALT! STEHEN BLEIBEN! POLIZEI!,
dröhnt es aus dem Lautsprecher.
Bloß weg hier!

Jonas rennt, so schnell er kann.
Ohne sich umzudrehen.
Warum eigentlich?
Er hat keine Zeit nachzudenken.

Er bleibt stehen,
als er zu Hause ist,
stolpert in sein Zimmer,
plumpst in seine Kuschelecke,
ringt nach Luft,
dann endlich hat er genug Puste,
um Max alles zu erzählen.

Der sagt nur:
„Prima! Prima!“,
und wippt mit dem Kopf.
„Von wegen prima!
Erschreckt habe ich mich!“
„Prima!“, krächzt Max.
„Ach, du meinst, es war gut,
dass ich mich erschreckt habe?“,
fragt Jonas.
Max nickt.
Jonas überlegt einen Moment
und sagt:
„Vielleicht hast du recht.
Gar nicht so dumm!
Könnte ja eine echte
Diebstahlsicherung sein.
Der Dieb will wissen,
ob niemand im Haus ist,
damit er ohne Gefahr einbrechen kann.
Er klingelt.
Und jetzt kommt der Trick
mit der Polizei aus dem Lautsprecher.

Da läuft jeder Einbrecher davon.
Eine gute Erfindung.
Und wer kein Einbrecher ist,
hat keine Angst vor der Polizei
und bleibt stehen.
Ganz einfach.
Danke für den Tipp, Max."
Jonas streichelt Max
über den zarten Federbauch.

Aber Max sagt nichts.
Er blickt Jonas nur stumm an.
Jonas krault seinen Freund
direkt unterm Schnabel.
Das hat Max besonders gern.
Aber Max sagt immer noch keinen Piep.
Irgendetwas stimmt nicht.
Jonas fragt:
„Fragst du dich vielleicht,
warum ich weggelaufen bin?"

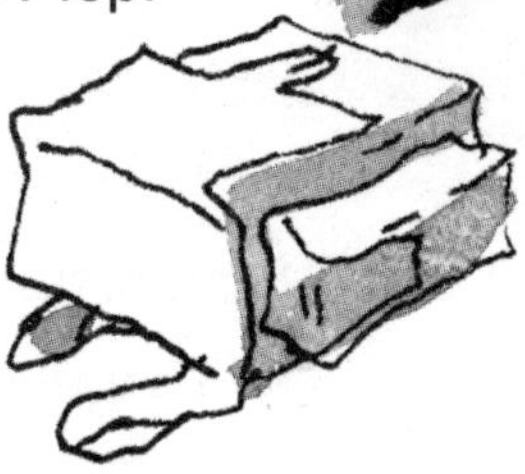

Max nickt.
Jonas erklärt kleinlaut:
„So ganz genau
weiß ich es auch nicht.
Ich glaube, ich bin
wegen der Nachbarn weggerannt.
Die erzählen sich so komische Sachen
über den Erfinder.
Und außerdem
habe ich mich so erschreckt!“
Jonas lacht und sagt:
„Da siehst du, wie dumm es ist,
auf das blöde Gerede
der Nachbarn zu hören!
Am besten,
ich geh gleich zurück zum Erfinder.
Ich muss ihn kennenlernen.“
Max nickt und krächzt:
„Prima!“
Jonas stürmt auf die Straße.
Schon steht er vor dem Gartentor.
Er klingelt, ohne zu zögern.

HALT! STEHEN BLEIBEN! POLIZEI!,
brüllt es wieder aus dem Lautsprecher.
Wieder erschrickt Jonas,
obwohl er auf die Polizeistimme
gewartet hat.
Aber diesmal bleibt er stehen
und wartet.
Zuerst knackt und rauscht es
im Lautsprecher,
dann hört Jonas
eine freundliche Stimme:
„Ja, bitte, wer ist da?“
„Hier ist Jonas Faber.
Ich möchte
zu Herrn Professor Turbozahn,
dem Erfinder.“
DING DA DU DONG
erklingt eine Melodie
aus dem Lautsprecher
und das Gartentor
schwingt wie von selbst auf.
Jonas geht durch die Pforte.

DONG DU DA DING
schließt sich das Gartentor.
Ein Kiesweg führt direkt
zum Haus.
Jonas will
die Haustürklinke niederdrücken,
da tönt es
DING DA DU DONG
und die Tür öffnet sich
wieder von selbst.
Kaum steht Jonas im Flur,
schließt sich auch die Haustüre.

DONG DU DA DING

Ein merkwürdiges Monstrum rollt
mit einem surrenden Geräusch heran.
Jonas weiß gleich:
Das ist ein Roboter.
Er ist ungefähr so groß wie Jonas.
Der Bauch ist eine glänzende Kugel.
Auf der Kugel blinken
verschiedene Lichter auf,
rote, grüne, blaue.
Jonas zählt . . .
elf, zwölf, dreizehn,
vierzehn Roboterarme.

Dort, wo eigentlich
die Hände sein müssen,
sitzen beim Roboter
Taschenmesser, Zahnbürste, Kamm,
Säge, Schraubenzieher,
Schraubenschlüssel,
Bügeleisen, Mikroskop, Staubsauger,
Suppenkelle, Gartenharke,
Ventilator, Schere und Feuerzeug.
Jonas sucht einen Kopf.
Aber einen Kopf
hat der Roboter nicht.
Wozu auch?
Er steht auf zwei Beinen,
seine Füße sind Räder
und Schwimmflossen.
Jonas begutachtet staunend
den Roboter und sagt:
„Guten Tag."

Der Roboter antwortet singend:

GUTEN TI UND GUTEN TO
GUTEN TAG
ICH BIN SO FROH

Ein singender Roboter!
Fast hätte Jonas laut gelacht.
Aber bei einem Roboter weiß man ja nie.
Darum sagt er nur:
„Herrn Professor Turbozahn
möchte ich gern sprechen."
Wieder antwortet der Roboter singend:

IST SCHON VOR
UND IST SCHON HINTER
IST AUCH MANCHMAL NEBEN MIR
IST SCHON ÜBER
IST SCHON UNTER
IST SCHON UNTERWEGS ZU DIR

Tatsächlich.
Professor Justus Turbozahn
kommt wie gerufen
die Treppe herunter.
„Ach, Besuch“, sagt er freundlich.
„Soll ich etwas für dich erfinden?

Vielleicht einen krähenden Wasserhahn?
Oder einen silbernen Goldzahn?“
Jonas lacht und prustet:
„Können Sie denn das?“
Herr Turbozahn antwortet:
„Ich kann alles erfinden.
Das Erfinden ist kein Problem.
Ich weiß nur nicht mehr,
was ich erfinden soll.
Es ist doch schon alles
erfunden worden, das ist das Problem.“
Justus Turbozahn führt Jonas
in sein Erfinderzimmer.
Der Roboter surrt hinterher.
„Womit kann ich dir helfen?
Und wie heißt du eigentlich?“
„Jonas.“
Der Roboter singt:

JO WIE JO
UND NAS WIE NASS
SO EIN NAME MACHT MIR SPASS

Jonas zeigt auf den Roboter
und fragt:
„Ist der immer so lustig?“
Der Professor nickt und antwortet:
„Hab ihn erfunden,
damit mir nicht langweilig wird.“
Jonas sagt erstaunt:
„Einem Erfinder
wird doch nie langweilig!“
Der Professor
zuckt mit den Achseln und sagt:
„Aber wenn ich doch nicht weiß,
was ich erfinden soll?
Sieh mal,
meine letzte Erfindung
ist schon sechs Wochen alt.
Außerdem taugt sie nichts.“
„Was haben Sie denn erfunden?“,
will Jonas wissen.
„Einen Fernseher,
der das Fernsehprogramm
von morgen zeigt.

Natürlich mit Spezialantenne.
Aber wie gesagt,
das Ding taugt nichts.
Wenn man immer das Programm
von morgen guckt, hat man keine Zeit,
das Programm von heute zu gucken.
Zu blöd."
Jonas sagt zögernd:
„Ich wüsste schon eine Erfindung,
die ich gebrauchen könnte."
„Da bin ich neugierig."
„Eine Morgenbrille,
mit der mir morgens
nicht die Augen schmerzen",
erklärt Jonas gewichtig.
„Verstehe. Sehr gut!
Müsste weich sein. Unzerbrechlich.
Vielleicht mit
eingebauter Leselampe.
Verstehe. Natürlich wasserdicht,
für Unterwasserschläfer.
Verstehe. Sehr gut! Wird gemacht!"

„Und was kostet
eine solche Brille?“,
will Jonas wissen.
Justus Turbozahn reibt
mit seinem rechten
Finger über seine Stirn.
Gleichzeitig
zieht er seine Nase kraus
und wackelt mit den Ohren.
Das sieht zu komisch aus.
Aber es ist sein Erfindergesicht.
Das macht er immer,
wenn er etwas erfindet
oder scharf nachdenkt.
„Ich hab es!“, sagt er.
„Deine Morgenbrille
kostet dich zwei neue Ideen.“
Jonas versteht nicht.
Er fragt: „Wie meinen Sie das?“
Der Professor erklärt:
„Also, was mir fehlt, sind Ideen.
Und die hast du.

Du denkst dir zwei Sachen aus,
die noch nicht erfunden sind,
damit ich sie erfinden darf.
Dafür erfinde ich dir
deine Morgenbrille."
„Ich krieg die Morgenbrille?",
fragt Jonas ungläubig.
Herr Turbozahn nickt.
„Und ich muss wirklich
nichts dafür bezahlen?"
„Doch", lacht der Professor.
„Du musst mir zwei
unerfundene Erfindungen nennen."
„Und die zwei neuen Erfindungen,
krieg ich die auch?",
fragt Jonas.
„Wenn du sie gebrauchen kannst.
Aber dafür müsstest du mir schon
drei andere Erfindungen
in Arbeit geben."
„Das ist gut!",
ruft Jonas begeistert.

„Wirklich gut.
Das muss ich Max erzählen.
Ich kann mir schon denken,
was der sagen wird."
Der Professor
setzt sein Erfindergesicht auf
und sagt:
„Ich möchte jetzt gerne
in Ruhe erfinden.
Du kannst morgen kommen
und deine Morgenbrille abholen.
Aber vergiss nicht, die neuen Ideen
für mich mitzubringen."
Der Roboter singt:

AUF WIEDERSEHEN LIEBER JONAS
GIB GUT ACHT
SONST WIRD DEIN PO NASS

Jonas verabschiedet sich
und geht.
DING DA DU DONG
DONG DU DA DING
Er hüpft über den Kiesweg.
Mit
DING DA DU DONG
und
DONG DU DA DING
kommt er auf dem Gehweg an.
Es regnet.
Jonas hat keinen Schirm,
darum läuft er schnell.
Jonas ist glücklich.
Alles ging so einfach.
Er kann es gar nicht glauben.
Er dreht sich und geht rückwärts.
So kann er noch einmal
nach dem Erfinderhaus sehen.
PLATSCH
Er ist gestolpert
und in einer Pfütze gelandet.

Pech!

Jetzt ist sein Po nass.

Der Roboter hat recht gehabt!

Jonas lacht und läuft schnell heim.

Er freut sich auf seinen Freund Max,

denn er hat ihm so viel zu erzählen.

Max wird Augen machen.

Und was krächzt Max?

Natürlich:

„Prima! Prima!“

Am nächsten Nachmittag
kann Jonas es kaum erwarten,
zu Professor Turbozahn zu gehen.
Die Haustür-Polizeistimme
erschreckt ihn längst nicht mehr.
DING DA DU DONG
DONG DU DA DING
DING DA DU DONG
DONG DU DA DING
Justus Turbozahn und sein Roboter
begrüßen Jonas gleichzeitig.
„Ist die Morgenbrille fertig?"
„Natürlich!"
Alle drei gehen ins Erfinderzimmer.
Die Brille liegt auf dem Tisch.
Der Professor erklärt:
„Ich habe als Grundmodell
meine alte Taucherbrille genommen.
Die ist aus Gummi und unzerbrechlich.
Mit dieser kleinen Kurbel
hier an der Seite
kannst du abends

die Brillenrollos herunterlassen.

Morgens rollst du sie
ganz langsam hoch,
dann pikst das Licht
nicht in den Augen.
Die Rollos
sind auch am Tag praktisch.
Falls du mal ein Schläfchen
zwischendurch halten willst,
hast du es immer kuschelig dunkel.
Mit diesem Knopf schaltest du
die eingebaute Leselampe an.
So kannst du auch im Dunkeln lesen.
Wenn du diesen Hebel ziehst,
wird die Brille zum Mikroskop.
Und auf diesen Schalter gedrückt,
wird sie zum Fernglas."
Jonas ist begeistert.
„Eine echte Spezialbrille!
Sie soll Turbobrille heißen.
Wirklich super!
Max wird sich wundern!"

Er bedankt sich,
nimmt die Brille und will loslaufen.
Damit ist Professor Turbozahn
nicht einverstanden.
Jonas muss ihm erst wie vereinbart
die zwei unerfundenen Erfindungen
verraten.
Jonas überlegt nicht lange.
Er weiß genau, was er will.
„Ich brauche
eine Sockensuchmaschine
und eine Anziehmaschine."
„Sehr gut",
sagt der Professor und setzt schon
sein Erfindergesicht auf.
„Schön schwierig.
Werde ein paar Tage brauchen.
Schön schwierig.
Ein Suchsocken, äh . . .
ich meine, ein Sockensucher.
Die Anziehmaschine
ist leicht zu erfinden,

einfach ein großer Spezialmagnet,
der alles anzieht."
„Nein!", unterbricht Jonas.
„Die Anziehmaschine
soll nicht Sachen anziehen.
Sie soll mich anziehen.
Mein Hemd und meine Hose,
verstehen Sie!"
„Ach, so meinst du das.
Das ist schwierig.
Sehr schwierig.
Aber sehr gut.
Beides sehr gute Erfindungen.
Dafür brauche ich
mindestens zwei Wochen.
Sehr gut.
Komm in vierzehn Tagen,
aber nicht früher,
sonst störst du mich."
Wieder setzt Professor Turbozahn
sein Erfindergesicht auf.
Jetzt zuckt sogar

sein linkes Augenlid.
Das muss wirklich
eine besonders schwierige
Erfindung sein.
Der Professor murmelt
vor sich hin.
Jonas will nicht stören.
Leise verlässt er das Haus.

Während der nächsten zwei Wochen
hat Jonas keine Langeweile,
denn er hat ja seine Turbobrille.
Die Brille leistet wirklich
gute Dienste.
Jonas trägt die Brille
auch in der Schule.
Seine Lehrerin wundert sich sehr
und sagt:
„Also, so eine merkwürdige
Brille habe ich noch nie gesehen.“
Jonas verrät natürlich nicht,
was es mit der Brille auf sich hat.

Er flunkert einfach
ein bisschen und sagt:
„Ich brauch die Spezialbrille
wegen meiner empfindlichen Augen."
Die Lehrerin
wäre sicherlich nicht begeistert,
wenn Jonas ihr die Brille
genau erklären würde.
Denn bei Klassenarbeiten
schaltet Jonas die Turbobrille
manchmal einfach
auf Fernglasbetrieb um.
So kann er unbemerkt
bei seiner Freundin abschreiben,
obwohl sie
fünf Tischreihen vor ihm sitzt.
Auch nachts ist die Brille praktisch.
Jonas kann jetzt heimlich
unter der Bettdecke lesen,
ohne von Mutter erwischt zu werden.
Trotzdem ist Jonas sehr gespannt
auf die anderen zwei Erfindungen.

Heute ist es so weit.
Als Jonas aus der Schule kommt,
liegt eine Postkarte
für ihn im Briefkasten.
Sie ist vom Roboter geschrieben.
Das erkennt Jonas sofort.
Aber er versteht den Text nicht gleich.
Auf der Karte steht:

Such noch einmal
VON DEN SOCKEN!

Mach dich ganz schnell
NACH DEN SOCKEN!

Du bist sicher
AUF DIE SOCKEN!

Jonas liest die Karte
ein zweites Mal und ein drittes Mal.
Plötzlich lacht er und ruft:

„Ich verstehe!
Der Roboter
hat mir einen Streich gespielt.
Er hat im Text
ein paar Zeilen vertauscht.
Ein lustiges Spiel.
Die ersten beiden Zeilen
müssen richtig heißen:

Such noch einmal
NACH DEN SOCKEN!

Ganz einfach!“

Es dauert nicht lange und Jonas
hat auch die anderen Zeilen
in die richtige Reihenfolge gebracht.
Jetzt weiß er,
was der Roboter von ihm will.
Ohne noch Zeit zu verlieren,
macht er sich auf den Weg.
Professor Turbozahn
erwartet ihn schon an der Haustür.
„Hallo, Jonas!“,
ruft der Professor.
„Schön, dass du kommst.“
Herr Turbozahn
hat die Polizeialarmstimme
am Gartentörchen abgestellt.
Jetzt ertönen nur noch das
DING DA DU DONG
und das
DONG DU DA DING.
Jonas begrüßt den Professor
und sagt:
„Schneller konnte ich es nicht schaffen.

Ich musste erst noch lange suchen,
damit die Sockensuchmaschine
auch etwas zum Suchen hat."
Herr Turbozahn nickt zufrieden.
„Gut, dass du an Socken gedacht hast.
Ich habe nämlich
keine Socken im Haus.
Seit ich vor zwei Jahren
meinen Sockenanzug erfunden habe,
brauche ich keine Socken mehr.
Und aus meinen alten Socken habe ich
praktische Einkaufssockentüten gemacht."

Jonas und der Erfinder gehen ins Haus.
„Wo bleibt denn Ihr Roboter?",
will Jonas wissen.
Herr Turbozahn
klopft Jonas auf die Schulter
und sagt:
„Der Roboter ist außer Betrieb.
Mach dir keine Sorgen,
ihm fehlen nur ein paar Liter Öl.

Aber mit dem Öl
gibt es ein kleines Problem.
Der Roboter mag nur Speiseöl.
Da ist er ganz eigenwillig.
Im Keller habe ich
ein riesiges Fass Maschinenöl.
Das will er nicht.
Also muss ich Speiseöl
in Flaschen heranschaffen.
Vor lauter Erfinden
bin ich nicht mehr
zum Einkaufen gekommen.
Jetzt aber genug geredet.
Lass uns erst die neue Erfindung
ausprobieren."
Der Professor und Jonas
gehen ins Erfinderzimmer.
Hier steht eine gewaltige Maschine
mit unendlich vielen Knöpfen,
Anzeigen, Drähten und Spiralen.
Die Maschine passt so eben in den Raum.
Jonas gehen die Augen über.

Der Professor erklärt:
„Ich habe aus deinen beiden Wünschen
eine Erfindung gemacht.
Eben einfach eine
Sockensuch-Anziehmaschine.
Hier unten sitzt der Sockenmagnet
mit dem Riechprozessor.
Darüber der Knopf
für die Knotenautomatik.
An der Seite der Zuknöpfschwengel
mit der elektrischen
Knopflochspirale.

Auf der anderen Seite
der Reißverschlusszippel
mit dem
Verschleißverschlusszappel."
Jonas versteht nicht alles.
Aber er ist gespannt,
was die Maschine wirklich kann.
Er fragt:
„Und wie arbeitet die Maschine?"
Herr Turbozahn
lässt sich Jonas' Socken geben
und sagt:
„Wie die Erfindung arbeitet,
werden wir ja gleich sehen.
Ich habe sie selbst
noch nicht ausprobiert.
Du solltest doch
beim ersten Probelauf
dabei sein.
Eigentlich ist es ja fast deine Erfindung.
Sag, wo sind deine Socken
normalerweise versteckt?"

„Meistens finde ich sie
unterm Bett oder im Badezimmer.
Manchmal auch in der Küche."
Der Professor überlegt einen Moment
und sagt:
„Dann verstecken wir also
einen Socken im Bad,
einen Socken unter meinem Bettmobil
und einen Socken im Kühlschrank."
„Im Kühlschrank?",
fragt Jonas ungläubig.
Der Erfinder nickt.
„Jawohl.
Wir wollen es
der Sockensuch-Anziehmaschine
doch nicht zu leicht machen."
Herr Turbozahn verlässt das Zimmer,
um die Socken zu verstecken.
Jonas bleibt zurück.
Ihm ist
fast ein bisschen unheimlich.

So ganz allein
mit der fremdartigen Maschine.
Er spürt,
wie sein Herz heftiger pocht,
und ist froh, als der Professor
zurück ins Zimmer kommt.
Der Erfinder
knipst an einigen Schaltern,
steckt den Stecker in die Steckdose
und sagt:
„Wir wollen
zuerst den Sockensucher testen.
Später probieren wir dann aus,
ob die Maschine
dich auch richtig anziehen kann.
Einverstanden?“
Jonas nickt.
Eigentlich wollte er
„Einverstanden“ sagen.
Aber er ist zu aufgeregt
und seine Stimme
bringt keinen Ton heraus.

Auch der Professor ist aufgeregt.
Er sagt:
„Beim ersten Mal
weiß ich nie so recht.
Aber einmal muss ich es ja probieren.
Bist du bereit?“
Jonas nickt und sagt:
„Prima“,
und es klingt fast so heiser,
als ob Max geantwortet hätte.
Der Professor geht zur Maschine
und betätigt einige Schalter.
Ein leises Summen ertönt.
Sonst tut sich nichts.
Oder doch?
Das Summen
wird fast unmerklich lauter.
Kurz darauf
fliegt ein gelber Kindersocken
zur Tür herein
und bleibt
an dem Sockenmagneten kleben.

Jonas und der Professor
sind begeistert.
„Das ist der Socken
aus dem Badezimmer!“,
ruft der Erfinder.
Er muss laut rufen, weil
die Sockensuch-Anziehmaschine
inzwischen ziemlich laut brummt.
Jetzt kommt
der zweite Socken geflogen.
„Der lag unter meinem Bettmobil!“
Das Brummen wird noch lauter.
Der Professor zieht seine Stirn kraus.
Er kratzt sich umständlich
mit seiner linken Hand
am rechten Ohr
und ruft Jonas zu:
„Das Brummen gefällt mir
ganz und gar nicht!“
Er will gerade
zu seiner Erfindung gehen,
um sie abzuschalten.

Da erschreckt die beiden
ein lautes Gepolter in der Küche.
Jonas und der Professor
trauen ihren Augen nicht.
Scheppernd und krachend
rutscht jetzt
der Kühlschrank
ins Erfinderzimmer.
Herr Turbozahn ruft:
„Mit dem Sockensuchmagneten
stimmt etwas nicht!
Ich glaube, er wird immer stärker.
Einfach zu stark!“
Plötzlich wird der Professor
selbst von den Füßen gerissen
und zum Sockenmagneten gezogen
Auch Jonas spürt,
wie er von der Magnetkraft
angezogen wird.
Er stürzt zu Boden
und schon rutscht er
auf den verzweifelten Professor zu.

Jonas kriegt gerade noch
den Gardinenzipfel zu fassen.
Seine Finger krallen sich in den Stoff
und mit aller Kraft
zieht er sich an der Gardine
näher ans Fenster.
Bloß weg von der Maschine!
Wird der Gardinenstoff halten?
Jonas sucht nach einem
festeren Haltepunkt.
Er zieht sich an den Heizkörper
unter der Fensterbank heran.
Zu spät!
RATSCH,
und Jonas und der Professor
kleben gemeinsam
hilflos am Sockenmagneten,
zappeln, rudern mit den Armen
und versuchen, sich zu befreien.
Zu allem Unglück rutscht jetzt
auch noch der Kühlschrank heran
und klemmt die beiden restlos fest.

Das Brummen der Maschine
wird unerträglich laut.
Schließlich gelingt es Jonas,
seine Schuhe auszuziehen
und aus den Socken zu schlüpfen.
Er fällt zurück.
Endlich.
Er ist frei!
Das gelingt dem Professor nicht.
Kein Wunder.
Sein ganzer Sockenanzug
wird ja auch
viel stärker angezogen
als ein einfacher Socken!
„Abschalten!“,
ruft der Erfinder immer wieder.
„Du musst den Notknopf drücken!
Drück den Notknopf!
DEN NOTKNOPF! NOTKNOPF!“
Aber die Maschine ist zu laut,
Jonas versteht falsch.
Er glaubt, der Professor ruft

»ROTKNOPF! ROTKNOPF!«.
Jonas drückt schnell
den roten Knopf.
„OH NEIN!“
Der rote Knopf
startet die Anziehautomatik!
Und die Sockensuch-Anziehmaschine
will dem Kühlschrank
die Socken anziehen.
Das schafft sie natürlich nicht.
Also versucht sie,
Herrn Turbozahn
den Kühlschrank anzuziehen.
„Abschalten!“,
ruft der Professor immer wieder.
„Abschalten!“
Abschalten ist gut.
Aber wie?
Bei so vielen Knöpfen und Schaltern!
„Abschalten! Sofort!“
Jonas bewegt sich wieder
näher an die Maschine heran.

Vielleicht der grüne Hebel?
Pech gehabt!
Das war die Knotenautomatik!
Ehe Jonas zurückweichen kann,
haben die Greifarme ihn schon gepackt.
Sie verknoten seine Hosenträger
mit dem Kühlschrankkabel.
Die Maschine knotet und knotet.
Gleichzeitig
versucht die Anziehautomatik,
dem Erfinder Jonas' Jacke
als Hose anzuziehen.
Dabei lassen die Greifarme
den Kühlschrank fallen
und der stürzt
– oh Schreck –
auf die Knopflochspirale!
Das ist zu viel!
Die Maschine bebt,
rumpelt und zittert.
Sie knotet, knüpft und fesselt.
Sie knirscht und jault auf.

DER STECKER,
schießt es Jonas durch den Kopf.
Er muss den Stecker ziehen.
Aber leichter gesagt als getan.
Er muss schneller sein
als die Maschine!
Die Maschine
hat seine Jackenknöpfe
an der Hose
des Professors festgeknöpft.
Blitzartig löst Jonas die Knöpfe.
Jetzt noch die Hosenträger.
Fast geschafft.
Verflixt!
Während er sich
von den Hosenträgern befreit,
zieht ihm die Maschine
die Hose halb aus
und fesselt ihn mit einem Hosenbein
an den Kühlschrankgriff.
Also noch einen Knoten lösen
und aufpassen,

dass er keinen Socken
als Hemd angezogen kriegt.
Geschafft! Jetzt der Stecker!
UFF!
Schlagartig
ist die Maschine still.
Nun kann sich
auch der Professor befreien.

Beide hocken erschöpft auf dem Boden
und ordnen ihre Kleidung.

„Das war knapp“,
stöhnt Herr Turbozahn.
Jonas kann schon wieder lachen
und sagt:
„Hat aber auch
irgendwie Spaß gemacht.“
Der Erfinder
streicht Jonas über den Kopf
und sagt:
„Auf deine Erfindung
musst du wohl noch etwas warten.
Komm doch Anfang Mai vorbei.

Ich glaube, dann bin ich so weit."
Jonas verabschiedet sich.
„Im Mai darf ich wieder kommen?",
fragt er Professor Turbozahn.
„Natürlich.
Du musst wieder kommen.
Schließlich ist es ja
auch deine Erfindung!"

Jonas hat es ganz eilig,
nach Hause zu kommen.
DONG DU DA DING
fällt hinter ihm
das Gartentor ins Schloss.
Jonas kann es kaum erwarten,
seinem Freund Max
vom aufregenden Nachmittag
zu erzählen.
Aber Mutter fängt Jonas
schon an der Haustüre ab.
Kein Wunder, dass sie Jonas mehr
als ein paar Fragen stellt.

„Ja, um Himmels willen!
Wie siehst du denn aus?
Warum hast du deine Schnürsenkel
als Hosenträger verknotet?
Und seit wann trägst du einen Socken
als Krawatte gebunden?
Alle Knöpfe sind abgerissen!
Wie ist denn das passiert?“

Jonas versucht zu erklären.
Er stammelt:
„Das war der Zuknöpfschwengel

oder die Knopflochspirale.“
„Was für ein Ding?“
„Es muss irgendein Teil
von der Knöpfautomatik gewesen sein“,
sprudelt es aus Jonas heraus.
„Vielleicht hat sich aber auch
der Reißverschlusszippel
mit dem Verschleißverschlusszappel
an meinem Hemdenkragenknopf verhakt,
als ich versucht habe,
die Knopflochspirale
aus meinem Hosenbein zu ziehen.
Dabei musste ich mich
so weit hinunterbeugen,
weil der Riechprozessor
ganz unten sitzt
und ich versuchen musste,
vom Sockenmagneten loszukommen!“
Mutter versteht jetzt gar nichts mehr.
Aber trotzdem muss sie lachen.
Jonas sieht ja auch zu komisch aus.
Sie sagt:

„Ich verstehe zwar immer nur Bahnhof,
aber sieh zu, dass du ins Haus kommst
und dich ordentlich anziehst.
Was sollen die Nachbarn denken!“
Jonas zieht einen Socken
aus dem Hemdkragen
und sagt:
„Was die Nachbarn denken oder reden,
ist mir ganz egal.“
Und er weiß, warum er das sagt.
Ihr auch?
Und ihr wisst natürlich auch,
was Max zum wilden Kampf
mit der Sockensuch-Anziehmaschine
sagen wird.
Der krächzt natürlich . . .